GLENCOE SPANISH 3

De viaje

Communication Activities Masters

Prepared by

Leslie Lumpkin

Glencoe McGraw-Hill

New York, New York   Columbus, Ohio   Woodland Hills, California   Peoria, Illinois

Glencoe/McGraw-Hill

A Division of The McGraw·Hill Companies

Printed in the United States of America.

Send all inquiries to:
Glencoe/McGraw-Hill
21600 Oxnard Street, Suite 500
Woodland Hills, California 91367

ISBN 0-02-646382-2

3 4 5 6 7 8 9 10 11   009   05 04 03 02 01 00 99

COMMUNICATION ACTIVITIES MASTERS

CONTENIDO

CAPÍTULO

1

LOS VIAJES

CONVERSACIÓN

A **Una oferta irresistible.** Ud. lee este anuncio en un periódico y decide comprar un billete para ir a México. Prepare una conversación con un(a) compañero(a) de clase, que va a hacer el papel del/de la agente de reservaciones, en la cual Uds. hablan sobre las condiciones del vuelo. Fijen el precio, el día y la hora del vuelo, el número del vuelo, etc. El/La agente le va a informar del suplemento que tiene que pagar si quiere cambiar la fecha del vuelo y el dinero que puede perder si cancela la reservación. Pague el pasaje con una tarjeta de crédito. Después de practicar la conversación escríbala.

Estudiante 1: ¡Hola! ¿Es verdad que tienen vuelos a México por $199 dólares?
Estudiante 2: Sí, pero depende del día y la hora del vuelo. ¿Cuándo quiere...?

¡Una oferta que Ud. no puede rehusar!

Ida y vuelta
**Nueva York -
México** . . . . desde $**199**

Conozca la nueva Aerolínea "Super Express"

Ofrecemos vuelos a precios que las otras compañías no pueden ofrecer

Para información y reservaciones *llame al* **1-800-EXPRESS**

_____

_____

_____

_____

_____

_____

_____

_____

_____

_____

B **¡Vamos a México!** Después de ver el anuncio para Aerolínea Super Express, Ud. decide llevar a su familia por primera vez a México. Escriba un plan para su viaje. Haga una lista de todo lo que el/la agente de viajes necesita saber para hacer las reservaciones del viaje. Detalle todo lo que va a ver y hacer en México.

_____

_____

_____

_____

_____

_____

_____

_____

_____

ESTRUCTURA I

El pretérito

A **Una encuesta.** Prepare un sondeo para saber qué hicieron sus compañeros de clase durante las vacaciones de verano. Primero, haga una lista de diez actividades en las que Ud. cree que participaron sus compañeros de clase. Luego, pregúntele a diez compañeros de clase si participaron o no. Después escriba el resultado del sondeo y dígaselo a la clase.

Actividades	Sí	No
Nadar en el mar	√	

De los diez compañeros, sólo uno nadó en el mar.

	Actividades	Sí	No
1.	_____	____	____
2.	_____	____	____
3.	_____	____	____
4.	_____	____	____
5.	_____	____	____
6.	_____	____	____
7.	_____	____	____
8.	_____	____	____
9.	_____	____	____
10.	_____	____	____

_____

_____

_____

_____

_____

_____

_____

_____

_____

El pretérito de los verbos de cambio radical

B **Un viaje con las estrellas.** Ud. es un(a) reportero(a) que acompañó a un grupo de personas célebres a México para hacer una gira por los mejores restaurantes del país. Ahora tiene que preparar un reportaje de algunos aspectos del viaje. Incluya en su reportaje los siguientes datos: los nombres de las estrellas de cine, en qué hotel se alojaron, el nombre de los restaurantes que visitaron, qué comidas y bebidas pidieron y quién les sirvió y qué prefirieron hacer después de comer. Después comparta con la clase los datos más interesantes.

Arnold Schwarzeneggar prefirió comer solamente ensaladas de frutas y langosta. Todos los días durmió hasta muy tarde y...

UNA SEMANA CON LAS ESTRELLAS DE CINE

_____

_____

_____

_____

_____

_____

_____

_____

_____

_____

_____

_____

_____

Nombre _____ Fecha _____

C **La última vez.** ¿Cuándo fue la última vez que Ud. hizo lo siguiente? ¿Con quién? ¿Qué pasó?

durmió dieciséis horas
Un día del mes pasado dormí dieciséis horas porque la noche anterior no dormí nada porque mi amigo(a) y yo tuvimos que estudiar para un examen muy difícil. Sacamos una nota muy buena en el examen.

1. salió con sus amigos
   _____
   _____

2. estudió para los exámenes de fin de curso
   _____
   _____

3. pidió comida mexicana en un restaurante
   _____
   _____

4. prefirió ir a la piscina en vez de ir al cine
   _____
   _____

5. condujo un auto de sport
   _____
   _____

6. fue al cine
   _____
   _____

7. trajo el libro de inglés a la clase de español
   _____
   _____

8. se puso ropa muy fea para ir al colegio
   _____
   _____

ESTRUCTURA II

La formación del subjuntivo

A **Ahora no quiero que...** Diga lo que quiere que ocurra este año en vez de lo que ocurrió el año pasado o todo el tiempo.

para mi cumpleaños, mis tíos...
El año pasado mis tíos me dieron un bate y una pelota para mi cumpleaños. Pero este año quiero que me den una bicicleta.

1. para Hanuka/Navidad, mis primos...

   _____

   _____

2. todos los veranos, mis hermanos...

   _____

   _____

3. para el 4 de julio, mis abuelos...

   _____

   _____

4. para mi cumpleaños, mis padres...

   _____

   _____

5. para los días de fiesta, mi familia...

   _____

   _____

6. todos los inviernos, mis amigos...

   _____

   _____

El subjuntivo con expresiones impersonales

B **Es posible que...** Diga si es improbable, importante, posible, etc., que las siguientes personas hagan las acciones indicadas.

Juan Carlos / estudiar
Es necesario que Juan Carlos estudie para los exámenes de fin de curso.

1. yo / comprar

   _____

   _____

2. ellos / contar

   _____

   _____

3. nosotros / cerrar

   _____

   _____

4. profesores / dar

   _____

   _____

5. Isabelita / tocar

   _____

   _____

6. chicos / encontrarse

   _____

   _____

El subjuntivo en cláusulas nominales

C **La carta de mamá.** Ud. acaba de llegar a un campamento, donde va a pasar dos semanas estudiando la ecología del lugar. Aparte de los estudios, en este campamento tendrá la oportunidad de explorar el bosque que lo rodea, subir las montañas y nadar en el río que está al lado del campamento. En cuanto llega al campamento, Ud. encuentra una carta de su mamá, en la cual ella le da muchos consejos. Complete las siguientes frases para saber qué le dice ella en la carta.

Temo que...
Temo que no te pongas crema protectora y que no tomes otras precauciones para no quemarte.

1. Espero que...

   _____

   _____

2. Insisto en que...

   _____

   _____

3. Tengo miedo de que...

   _____

   _____

4. Prefiero que...

   _____

   _____

5. Te mando que...

   _____

   _____

6. No quiero que ...

   _____

   _____

7. Y, finalmente, deseo que...

   _____

   _____

Sustantivos masculinos que terminan en -a

D **Unas oraciones.** Escriba una oración con cada una de las palabras siguientes.

clima
El clima aquí es excelente. Siempre hace buen tiempo.

1. drama

_____

_____

2. sistema

_____

_____

3. poema

_____

_____

4. mapa

_____

_____

5. tema

_____

_____

Sustantivos femeninos en a, ha inicial

E **Un párrafo.** Escriba un párrafo usando las siguientes palabras.

El águila voló muy alto y después...

agua	águila	área	arma	hacha	ala	hambre

_____

_____

_____

_____

_____

_____

_____

_____

_____

_____

_____

CULMINACIÓN

A **Son muy diferentes.** Sara y Roberto tienen un niño de ocho años, Alfonsito, y una niña de seis, Teresita. Los dos padres tienen ideas muy distintas sobre la manera de educarlos. Roberto es muy conservador y tiene ideas muy tradicionales, pero Sara es muy liberal. Ella cree que los niños se deben criar en un ambiente de libertad pero con responsabilidades para que aprendan a ser adultos responsables. Describa las ideas de Sara y Roberto sobre los siguientes temas. Use las frases como guía y empiece sus oraciones con frases como *insistir en, preferir, querer,* etc.

Teresita: jugar sólo con muñecas, tener coches
Roberto quiere que Teresita juegue sólo con muñecas. Sara insiste en que tenga coches también.

1. Alfonsito: tener muñecas, jugar con soldados

   _____

   _____

2. Teresita: ser ingeniera o médica, ser esposa y madre

   _____

   _____

3. los niños: no tocar la computadora, aprender a usarla

   _____

   _____

4. Alfonsito: aprender a cocinar, no aprender a hacerlo

   _____

   _____

5. Teresita: aprender a arreglar el carro, no saber nada de carros

   _____

   _____

6. los niños: no ver la tele nunca, verla cuando quieran

   _____

   _____

Ahora, escriba un párrafo y describe lo que Sara y Roberto quieren para sus hijos.

_____

_____

_____

_____

_____

_____

_____

_____

B **¡Aconséjame, por favor!** Ud. recibió la siguiente carta de su amigo Rafael. Escríbale una carta en la que le aconseja qué debe hacer. Emplee el subjuntivo cuando sea posible.

Querido(a) amigo(a),

Te escribo esta carta porque estoy muy preocupado y no tengo a quién dirigirme. Hace poco mandé una foto a un concurso de fotografía y resulta que me han notificado que he ganado el primer premio. El problema es que la foto que envié no era una foto de mí, sino de un amigo. Fue tomada durante sus vacaciones y él me la dio a mí.

La compañía que patrocina el concurso va a utilizar la foto en sus campañas de publicidad. Además, el premio que voy a recibir viene a ser cinco mil dólares. No sé qué hacer. Te agradecería que me dijeras qué debo hacer.

Saludos,

Rafa

Querido Rafa,

_____

_____

_____

_____

_____

_____

_____

_____

_____

_____

_____

_____

RUTINAS

CONVERSACIÓN

A ¡**Mi hermano es un malcriado!** Describa a tres personas de su familia con las que no se lleva bien y explique por qué.

No me llevo bien con mi hermano porque cuando mi novio vino por primera vez a mi casa mi hermano le hizo muchas preguntas indiscretas y le dijo muchas cosas vergonzosas acerca de mí.

_____

_____

_____

_____

_____

_____

_____

_____

_____

_____

_____

_____

Nombre _____ Fecha _____

B **Mi pariente favorito.** Ud. y un(a) compañero(a) van a describir a su pariente favorito. Describan a la persona. Digan dónde vive, cómo es, cuál es su profesión y nacionalidad, y por qué ese pariente es su favorito. Luego, díganle a la clase las cosas que tienen en común sus parientes.

Mi pariente favorito es... Él/Ella es... y vive en... Es mi pariente favorito porque...

_____

_____

_____

_____

_____

_____

_____

_____

ESTRUCTURA I

El imperfecto
Los verbos regulares

A **En el pasado.** Imagínese que es un(a) explorador(a) que usa una máquina de tiempo para regresar al pasado. Escriba en su diario qué vio y qué paso en cada uno de los siguientes eventos históricos.

la primera campaña de Normandía, 6 de junio de 1944
El día estaba nublado y hacía frío. Los soldados desembarcaban en la playa y después corrían por todas partes. Había mucha confusión. Así fue como comenzó la ofensiva contra el frente alemán.

1. el primer paseo lunar, 20 de julio de 1969

   _____

   _____

   _____

   _____

2. Pompeya (*Pompei*), durante la erupción del Monte Vesuvio, en 79 d. de J.C.

   _____

   _____

   _____

   _____

3. Plymouth, el primer Día de Acción de Gracias, 1621

   _____

   _____

   _____

   _____

Nombre _____ Fecha _____

El imperfecto y el pretérito
Acción repetida y acción terminada

B **Yo y mis amigos.** Diga qué hacían Ud. y su familia en las siguientes ocasiones, y qué recuerda de especial en cada caso.

por las noches de verano
Por las noches de verano me encantaba jugar con mis amigos y hermanos. Una vez me divertí tanto que me olvidé regresar a casa hasta las doce de la noche.

1. los sábados por la noche

_____

_____

2. de vacaciones

_____

_____

3. cuando visitaban a sus abuelos

_____

_____

4. por las Navidades

_____

_____

5. el primer día de clase

_____

_____

Dos acciones en la misma oración

C **Un cuento.** Complete las descripciones que siguen.

La tortuga llegaba al final de la carrera cuando...
La tortuga llegaba al final de la carrera cuando, de repente, la liebre (hare) *se despertó.*

1. Mientras Caperucita Roja (*Little Red Riding Hood*) caminaba hacia la casa de su abuela... _____

   _____

   El lobo (*wolf*) ya estaba en la cama cuando... _____

   _____

2. Mientras Cenicientas (*Cinderella*) bailaba con el Príncipe... _____

   _____

   El gran reloj de la sala daba las doce cuando... _____

   _____

3. Mientras Ricitos de Oro (*Goldilocks*) probaba la sopa de los tres osos... _____

   _____

   Ricitos de Oro dormía en la cama del oso pequeño cuando... _____

   _____

4. Mientras el cerdito (*pig*) más responsable construía su casa de ladrillos (*bricks*)... _____

   _____

   El primer cerdito descansaba en su casa de paja (*hay*) cuando... _____

   _____

ESTRUCTURA II

El subjuntivo con expresiones de duda

A **¿Lo crees o lo dudas?** Exprese su opinión sobre cada frase. Empiece cada oración con una de las siguientes expresiones.

(no) dudar	(no) es dudoso	(no) hay duda
(no) creer	(no) es cierto	(no) estar seguro(a)

si hay vida (*life*) en otros planetas
No hay duda que hay vida en otros planetas.
Dudo que haya vida en otros planetas.

1. si cada persona tiene un doble

   _____

   _____

2. si Nueva York tiene más gente que México D.F.

   _____

   _____

3. si llegamos a vivir en el planeta Martes

   _____

   _____

4. si ahora hace más calor en la tierra que antes

   _____

   _____

5. si el chino es más difícil de aprender que el árabe

   _____

   _____

6. si la vitamina C ayuda prevenir los catarros

   _____

   _____

El subjuntivo con verbos especiales

B **¡Escúcheme!** Póngase en el lugar de cada una de las siguientes personas y demuestre su autoridad según la circunstancia. Dirija su frase a la segunda persona.

Es profesor(a). Un(a) alumno(a) dice que no ha hecho su tarea.
recomendar
Te recomiendo que hagas la tarea si quieres pasar mi curso.

1. Es agente de policía. Un señor está aparcando su coche en una zona prohibida.
mandar

_____

2. Es médico(a). Su paciente tiene fiebre y catarro.
sugerir

_____

3. Es dueño(a) de una tienda. Su empleado(a) llega treinta minutos tarde todos los días.
exigir

_____

4. Es mayordomo(a). Un(a) señor(a) quiere una mesa para doce personas y no tiene reservación.
sugerir

_____

5. Es artista. Un(a) cliente muy impaciente quiere que termine su cuadro inmediatamente.
pedir

_____

6. Es psicólogo(a). Un(a) cliente está deprimido(a) porque perdió su trabajo.
aconsejar

_____

El subjuntivo con expresiones de emoción

C **¿De veras?** Responda a las noticias de su mejor amigo(a) con una de las siguientes expresiones de emoción.

alegrarse de   **estar contento(a)**   **estar triste**
sorprender   **gustar**   **es (una) lástima**

Mi hermano tiene una fiebre muy alta y le duelen la garganta y el pecho.
Es una lástima que esté enfermo.

1. Mi prima favorita va a pasarse una semana con nosotros.

   _____

2. Este verano voy a trabajar en Washington D.C. para una senadora.

   _____

3. Te voy a visitar esta tarde y te voy a llevar tu pastel favorito.

   _____

4. Van a cancelar el picnic porque el pronóstico del tiempo dice que va a llover.

   _____

5. No puedo ir contigo al cine porque tengo que cuidar a mi hermano.

   _____

6. Estoy enfadado(a) contigo y no quiero verte más.

   _____

CULMINACIÓN

A **Una respuesta sincera.** Lea la carta que le envió su amiga, Carmen, y contéstela. Incluya en su respuesta las frases siguientes.

Es lástima que...	Dudo que...	Estoy triste...	Espero que...
Te ruego que...	No es cierto que...	Creo que...	Es mejor que...
Te sugiero que...	Estoy seguro(a) que...	Te exijo...	Me sorprende...

Querido(a) ex amigo(a):

Te escribo porque estoy muy desilusionada contigo. Y quiero decirte por qué me siento así. Ya veo que no quieres sentarte conmigo en la cafetería. Prefieres estar con tus otros amigos. Además, sé que criticas mi modo de vestir. Ana me lo dijo. Nunca devuelves mis llamadas telefónicas aunque siempre te dejo un mensaje. Quiero que sepas que ya no voy a compartir mis apuntes contigo. Y no te voy a ayudar con los problemas de la clase de cálculo. ¡Mejor que le pidas ayuda a tus otros amigos! No sé por qué ya no quieres ser mi amigo(a). ¡Tal vez nunca fuimos amigos(as)! Quizás te aprovechaste (took advantage) de nuestra amistad (friendship) para sacar buenas notas en la clase de cálculo. Pues, no te vas a aprovechar nunca más de mí.

Carmen

_____

_____

_____

_____

_____

_____

_____

_____

_____

_____

_____

_____

_____

B **Un cuento.** Escoja uno de los siguientes dibujos y escriba un cuento basado en él. Luego, explique por qué escogió este dibujo. Use su imaginación.

La escena:

_____

_____

_____

_____

_____

_____

_____

_____

_____

_____

_____

_____

_____

_____

Explicación:

_____

_____

_____

_____

_____

_____

_____

_____

_____

CAPÍTULO
3

PASATIEMPOS

CONVERSACIÓN

A **Una obra teatral.** Ud. es reportero(a) para un periódico local. Para la próxima edición tiene que escribir una crítica de una obra teatral famosa que se está presentando en el Teatro Tacón. Incluya en su crítica lo que más le gusta y no le gusta de la obra, cómo fue la actuación de los actores, el precio de las entradas y si es fácil o difícil conseguirlas, el mejor lugar donde sentarse en el teatro y si le recomienda a su público que vaya a ver la obra.

_____

_____

_____

_____

_____

_____

_____

_____

_____

_____

_____

_____

_____

_____

_____

_____

B **Una celebración.** Lea la carta que le envió una amiga que vive en la Argentina. Escríbale una carta y contesta sus preguntas.

> Querido(a) amigo(a):
>
> ¿Cómo estás? Me reí mucho con tu última carta. Ya me imagino cómo te divertiste en tu fiesta de cumpleaños.
>
> Necesito un favor de ti. Para la clase de historia tengo que escribir un informe sobre las celebraciones del 4 de julio. En ese informe tengo que incluir lo siguiente: quiénes son los héroes nacionales y si los conmemoran, si hay desfiles cívicos, si disparan cohetes y si una banda municipal o militar toca el himno nacional *(national anthem)*.
>
> Por favor, déjame saber las respuestas a mis preguntas bien pronto. Tengo que entregar el informe dentro de tres semanas.
>
> Saludos.

ESTRUCTURA I

Verbos especiales con complemento indirecto

A **¿Y qué opinas tú?** Pregúntele a un(a) compañero(a) de clase qué opina él/ella de los siguientes tipos de películas o programas de televisión. Escriba las opiniones de él/ella y luego junto con las suyas compártalas con la clase. Use los verbos siguientes para expresar sus opiniones.

asustar   encantar   enfurecer   interesar   importar   molestar   enojar

las películas de terror
Estudiante 1: ¿Qué opinas de las películas de terror?
Estudiante 2: A mí me encantan.
A la clase: A Teresa le encantan las películas de terror pero a mí no me interesan.

1. las películas de terror

_____

_____

_____

_____

2. las telenovelas

_____

_____

_____

_____

3. las películas de ciencia ficción

_____

_____

_____

_____

4. los programas de temas controversiales

_____

_____

_____

_____

5. las películas cómicas

_____

_____

_____

_____

6. los programas de deportes

_____

_____

_____

_____

_____

Los verbos gustar *y* faltar

B Me falta... Escriba lo que le gustaría hacer pero no puede porque le faltan ciertas cosas.

los huevos
Me gustaría preparar un pastel pero no puedo porque me faltan huevos.

1. el jabón

_____

2. la raqueta

_____

3. el tiempo

_____

4. el dinero

_____

5. las instrucciones

_____

6. el papel

_____

7. los ingredientes

_____

8. la cámara

_____

Ser y estar

C **En otras palabras...** Su amigo(a) se cree que él/ella dice todo de manera muy sofisticada. Simplifique lo que dice para que todos lo/la entiendan. Escriba una versión más sencilla usando *ser* o *estar*.

Severino Ballestero *tiene la nacionalidad española.*
Severino Ballestero es español.

1. La familia Rodríguez *se ubica en* Bolivia.

_____

2. No sé *qué nacionalidad tiene* Josefa.

_____

3. ¿Dónde *se encuentra* Roberto?

_____

4. El primo de Mario *viene* de Arizona.

_____

5. *Encontrarás* la calle Santa Elena en el barrio italiano.

_____

Característica y condición

D ¿Qué tienes? Pregúntele a un(a) compañero(a) de clase cómo son las cosas que tiene. Use los adjetivos y lugares sugeridos. Luego, informe a la clase.

> coche > viejo/nuevo > en buenas/malas condiciones > color
> **Estudiante 1:** ¿Tienes coche?
> **Estudiante 2:** Sí.
> **Estudiante 1:** ¿Es viejo o nuevo?
> **Estudiante 2:** Es viejo pero está en muy buenas condiciones.
> **Estudiante 1:** ¿De qué color es?
> **Estudiante 2:** Es verde. Y tú, ¿tienes coche?
> **A la clase:** Alicia tiene un coche viejo que está en buenas condiciones. Es de color verde.

1. bicicleta > grande/pequeño > moderna/antigua > color
2. casa o apartamento > lugar > grande/pequeño > cómodo/incómodo
3. muchos discos > música moderna o clásica > conjuntos musicales

Usos especiales de ser y estar

E ¿Cómo se dice? Escriba en español.

1. The boy is boring

   _____

2. They are bored.

   _____

3. She is alive.

   _____

4. This apple tastes good.

   _____

5. Coffee is bad for you.

   _____

6. Verónica is pretty.

   _____

7. Lina is especially pretty today.

   _____

8. Antonio is a sickly person.

   _____

CULMINACIÓN

A **En el campamento.** Imagínese que está pasando dos semanas en un campamento de verano. Escríbale una carta a sus padres en la cual les dice que todo es maravilloso o todo es horrible en el campamento. Dé varios ejemplos y sea creativo(a) y exagere en las descripciones de las comidas, las actividades, los compañeros, etc.

Queridos padres,

Sería mejor que me mandaran a una cámara de torturas. Aquí hay insectos enormes, la comida...

B **Tres puntos de vista.** Imagínese que Ud. tiene tres personalidades distintas, la de un(a) niño(a) de ocho años, la de un(a) joven romántico(a) y la de un(a) viejo(a). Está en México por primera vez y acaba de visitar las pirámides y los templos de los mayas en Chichén Itzá. Escríbale una tarjeta postal a su familia, desde el punto de vista de cada persona. En total, va a escribir tres postales.

CAPÍTULO
4

PASAJES

CONVERSACIÓN

A **¿Quieres casarte conmigo?** Es el momento clave de su vida. Su novio(a) y Ud. deciden casarse. Trabaje con un(a) compañero(a) de clase y preparen un conversación en la cual dos novios hablan de los preparativos para su próxima boda. Decidan si van a casarse por la iglesia o por lo civil, el tipo de recepción, el número de invitados, quién va a pagar la mayor parte de los gastos, cómo van a ser las invitaciones, etc. En algunas cosas Uds. no están de acuerdo. Después de escribir el diálogo, preséntaselo a la clase.

_____

_____

_____

_____

_____

_____

_____

_____

_____

_____

_____

_____

_____

_____

_____

B **Una boda inolvidable.** Ud. está en la boda de Michael Jackson y escucha los comentarios de algunos invitados. Escriba lo que cada persona dice. Sea creativo(a).

Janet Jackson
Creo que la novia también se hará cirugía plástica.

1. Latoya Jackson

   _____

2. Elizabeth Taylor

   _____

3. La madre de Michael

   _____

4. Brooke Shields

   _____

5. La madre de la novia

   _____

6. El agente de Michael

   _____

7. El chimpancé de Michael

   _____

Nombre _____ Fecha _____

ESTRUCTURA I

El futuro
Verbos regulares

A **¡Quiero más dinero!** Ud. quiere que sus padres le aumenten su dinero de bolsillo semanal. Ellos deciden que para recibir más dinero, Ud. tiene que encargarse de más quehaceres y que debe escoger un quehacer diferente para cada día. Escriba lo que Ud. hará cada día.

los lunes: *limpiaré la habitación*

1. los domingos:

   _____

2. los lunes:

   _____

3. los martes:

   _____

4. los miércoles:

   _____

5. los jueves:

   _____

6. los viernes:

   _____

7. los sábados:

   _____

El futuro
Formas irregulares

B **Mi futuro.** En el carnaval del colegio Ud. visita el puesto de la gitana. Si paga un dólar, puede hacerle diez preguntas a la gitana sobre su futuro. Escriba diez preguntas, usando verbos con formas irregulares en el futuro. Luego, un(a) compañero(a) de clase escribirá respuestas ridículas y humorísticas empleando el futuro también.

¿Cuándo tendré mucho dinero?
Nunca, pues no podrás vivir mucho tiempo.

1. _____

   _____

2. _____

   _____

3. _____

   _____

4. _____

   _____

5. _____

   _____

6. _____

   _____

7. _____

   _____

8. _____

   _____

9. _____

   _____

10. _____

    _____

El condicional o potencial
Formas regulares e irregulares

C **¿Qué harías...?** Dé tres ejemplos de lo que haría Ud. en cada una de las siguientes situaciones.

Durante la noche Ud. recibe una visita de extraterrestres.
Les invitaría a tomar café.
Gritaría.
Trataría de...

1. Durante la noche Ud. recibe una visita de extraterrestres.

   _____

   _____

   _____

2. Ud. encuentra un billete de lotería con el número ganador.

   _____

   _____

   _____

3. Un agente de Hollywood le ofrece a Ud. un contrato para hacer el papel principal en una película.

   _____

   _____

   _____

4. Ud. gana un viaje a España por diez días y puede escoger el itinerario.

   _____

   _____

   _____

Oraciones indirectas

D **Ya te dije que lo haría.** Complete las siguientes frases de tres maneras diferentes.

> **Yo te digo...**
> *Yo te digo que hablaré con ella.*
> *Yo te digo que se lo diré mañana.*
> *Yo te digo que iré al partido de fútbol.*

1. Yo te digo...

   _____

   _____

   _____

2. Yo te dije...

   _____

   _____

   _____

Los pronombres de complemento directo e indirecto

E **¡Excusas y más excusas!** Conteste las siguientes preguntas y explique por qué. Escriba frases completas y use los pronombres de complemento directo e indirecto.

> **¿Por qué no me mandaste una tarjeta para mi cumpleaños?**
> *No te la mandé porque quería dártela en persona. Y, ¡aquí está!*

1. ¿Por qué no terminaste la tarea?

   _____

   _____

2. ¿Por qué le prestaste el coche a tu amigo?

   _____

   _____

3. ¿Por qué no me dijiste que tu abuela había llamado?

   _____

   _____

4. ¿Por qué no llamaste a tus amigos este fin de semana? ¿Pasa algo?

_____

_____

5. ¿Por qué no le regalaste flores a tu profesora de español?

_____

_____

ESTRUCTURA II

El subjuntivo en cláusulas adverbiales

A **Las oraciones.** Forme oraciones completas con cada una de las siguientes conjunciones.

a menos que
No puedo ir al cine a menos que me pagues la entrada.

1. para que

_____

2. de modo que

_____

3. de manera que

_____

4. con tal de que

_____

5. sin que

_____

6. a menos que

_____

El subjuntivo con conjunciones de tiempo

B **Las condiciones.** Pregúntele a un(a) compañero(a) de clase si quiere hacer o va a hacer las siguientes cosas. Él/Ella le contestará usando las conjunciones que siguen.

cuando   hasta que   en cuanto   después de que   tan pronto como

ayudarte con la tarea
¿Quieres ayudarme con la tarea?
Te voy a ayudar tan pronto como termine de estudiar.

1. llevarte al centro comercial

_____

_____

2. jugar al baloncesto contigo

_____

_____

3. prestarte...

_____

_____

4. ir contigo a

_____

_____

5. invitarte a

_____

_____

El subjuntivo con aunque

C **Con mucha voluntad.** Piense Ud. en personas que tienen mucha fuerza de voluntad, personas que no se rinden a pesar de las dificultades y obstáculos. Luego, escriba una cosa que estas personas hacen o harán aunque sea difícil. Incluya un poco de humor si quiere.

Superman
Superman salvará a Lois Lane aunque haya kriptonita cerca.

1. el presidente de los Estados Unidos

_____

2. Bugs Bunny

_____

3. Drácula

_____

4. E.T.

_____

5. Rocky y Bullwinkle

_____

El subjuntivo con quizás, tal vez y ojalá

D **¡Ojalá que...!** Con un(a) compañero(a) de clase complete las siguientes frases de tres maneras ilógicas.

Ojalá...
Ojalá que haga la tarea en el garaje.
Ojalá que prepare la comida en el baño.
Ojalá que el perro te saque de paseo.

1. Ojalá que...

_____

_____

_____

2. Tal vez...

_____

_____

_____

3. Quizás...

_____

_____

_____

La colocación de los pronombres de complemento con el infinitivo y el gerundio

E **Dos opiniones.** Una persona les hace las siguientes preguntas a un(a) compañero(a) de clase y a Ud. Ud. contestará con un mandato afirmativo y su compañero(a) contestará con un mandato negativo. En sus respuestas deben incluir los pronombres de complemento.

Un nuevo estudiante: ¿Dónde debo dejar la tarea?
Estudiante 1: Déjala en el escritorio del/de la profesor(a).
Estudiante 2: No, no la dejes allí. Es mejor dársela a él/ella.

1. Un motorista: ¿Dónde puedo comprar gasolina por aquí?

   _____

   _____

2. Un cliente en el restaurante: De postre, ¿debo pedir la tarta de manzana?

   _____

   _____

3. Un(a) niño(a) en la biblioteca: ¿Dónde puedo encontrar las enciclopedias?

   _____

   _____

4. Una amiga: ¿Debo darle a Juan estos chocolates para su cumpleaños?

   _____

   _____

5. Un amigo en el café: ¿Cuánto le debo dejar de propina a la camarera?

   _____

   _____

6. El camarero: ¿Debo servirles las bebidas con hielo?

   _____

   _____

CULMINACIÓN

A **¡Qué boda!** Ud. es el/la reportero(a) encargado(a) de la página social del periódico local. Escriba una reseña de la boda de la pareja en el dibujo. Invente todos los detalles de la boda: los nombres de los novios, el lugar y hora de la boda, las personas que participaron, los invitados, la descripción del vestido de la novia, el lugar de la recepción, la comida que sirvieron, el conjunto que amenizó (*livened up*) la fiesta, etc.

Enlace Martínez Blanco-Echeverría Salinas

Ayer, a las cinco de la tarde en la Catedral de Nuestra Señora de la Paz, se fundieron en matrimonio la gentil señorita Maritza Martínez Blanco y el apuesto Ing. Javier Echeverría Salinas...

_____

_____

_____

_____

_____

_____

_____

_____

_____

_____

_____

_____

B **Una invitación.** Ud. decide componer su propia invitación para su fiesta de cumpleaños. En el espacio que sigue, escriba y dibuje la invitación. No se olvide de incluir la información clave: la fecha, el lugar, la hora, etc.

CAPÍTULO
5

SUCESOS Y ACONTECIMIENTOS

CONVERSACIÓN

A **Un crimen.** Con un(a) compañero(a) de clase prepare una conversación entre la víctima de un crimen y el/la detective que lo está investigando. Use los dibujos y las frases para hacer las preguntas y dar las respuestas. Después de escribir el diálogo, preséntenselo a la clase.

la hora del crimen
¿A qué hora ocurrió el robo?
A eso de las tres.

1. la hora del crimen

_____

_____

2. la descripción del ladrón o de la ladrona

_____

_____

3. la manera de pedir el dinero

_____

_____

4. la cantidad de dinero

_____

_____

5. la manera de escaparse

_____

_____

B **¡Cómo habla!** Está hablando por teléfono con una amiga que habla muchísimo. Ud. está mirando la televisión y no quiere prestarle mucha atención. Para indicarle que está prestando atención y no decirle "sí" o "no" solamente, use otras palabras para indicar que está o no está de acuerdo.

¿Me veo mejor con el pelo corto?
¡Absolutamente! ¡No cabe duda!

1. ¿Crees que Juanita va a ser elegida reina?

_____

2. Y la otra chica, Gloria, ¿no crees que ella podría ganar?

_____

3. Pero tú vas a votar por mí, ¿no?

_____

4. ¿Tú vas al baile que hay después del partido?

_____

5. Sería una pena que nuestro equipo perdiera, ¿verdad?

_____

6. ¿Crees que va a perder?

_____

7. Dime, ¿crees que debo aceptar la invitación de José para ir al baile?

_____

8. Pero, ¿no sería mejor aceptar la invitación de Antonio? Él me invitó primero.

_____

9. Y Antonio es muy simpático, ¿no te parece?

_____

10. Pero, José es mucho más guapo, ¿verdad?

_____

ESTRUCTURA I

El presente perfecto

A **¿Qué has hecho y dónde has estado?** Un(a) compañero(a) de clase va a hacer el papel de un(a) estudiante de intercambio de Venezuela. Prepare diez preguntas con el presente perfecto que Ud. le quiere hacer al/a la estudiante venezolano(a). Su compañero(a) también le contestará las preguntas usando el presente perfecto.

Estudiante 1: ¿Has visitado el Museo Metropolitano?
Estudiante 2: Sí, he estado allí varias veces?

1. _____
_____

2. _____
_____

3. _____
_____

4. _____
_____

5. _____
_____

6. _____
_____

7. _____
_____

8. _____
_____

9. _____
_____

10. _____
_____

Las palabras negativas y afirmativas

B **El/La pesimista.** Sus amigos creen que Ud. es muy negativo(a) porque siempre dice cosas negativas. Aumente su reputación de pesimista. Diga algo negativo después de cada pregunta o oración.

Muchas veces recibo tarjetas postales de mis amigos. ¿Y tú?
Pues, yo nunca recibo nada de nadie.

1. ¿Te ha llamado alguien de tu familia últimamente?

   _____

2. Yo conozco a las dos chicas cubanas en la clase del señor Roberts. ¿Y tú?

   _____

3. A mí no me gustan los desfiles militares. ¿Y a ti?

   _____

4. Ayer encontré cinco dólares en la calle y la semana pasada encontré dos dólares.

   _____

5. No me interesan los juegos de mesa. ¿Y a ti?

   _____

6. Mi novio siempre me manda flores para mi cumpleaños.

   _____

7. Voy a pedir un café fuerte. ¿Y tú?

   _____

8. ¿Tienes alguna idea de lo que el maestro está diciendo?

   _____

Sino y pero

C **Perdón, pero...** Su amigo(a) siempre le está corrigiendo aunque Ud. tiene razón. Ud. ha dicho las frases siguientes pero su compañero(a) le corrige usando *sino*. Ud. repite lo que él/ella ha dicho comenzando con *Perdón, pero...* y añada más información.

Estudiante 1: **Juan tiene dos hermanas.**
Estudiante 2: **No tiene dos hermanas sino una.**
Estudiante 1: **Perdón, pero tiene dos hermanas y se llaman Carla y Marta. Además, yo las conozco.**

1. La mamá de Juan es de Colombia.

   _____

   _____

   _____

2. El padre de Alfonso es médico.

   _____

   _____

   _____

3. La señora Castillo tiene un Mercedes-Benz.

   _____

   _____

   _____

4. El baile se acabó a las once.

   _____

   _____

   _____

5. El club de español tiene 25 miembros.

   _____

   _____

   _____

ESTRUCTURA II

El pluscuamperfecto

A **Ya había pasado.** Describa lo que ya había pasado en cada dibujo cuando Ud. llegó.

Los novios ya se habían casado cuando yo llegué.

1. _____
   _____

2. _____
   _____

3. _____
   _____

4. _____
   _____

5. _____
   _____

El condicional perfecto

B **Lo habría hecho pero...** Ud. siempre hace planes pero nunca los puede llevar a cabo porque algo le interrumpe. Escriba las cosas que habría hecho.

Habría terminado la tarea, pero me dormí.

1. _____

2. _____

3. _____

4. _____

5. _____

6. _____

El futuro perfecto

C **La tía Hortensia.** Ud. conoce tan bien a su tía Hortensia que puede adivinar lo que ella habrá hecho en cualquier hora del día, pues ella sigue una rutina muy rígida. Ella está de vacaciones en una playa cerca de las montañas. Durante el día Ud. mira el reloj y dice lo que Hortensia habrá hecho a esa hora.

las seis de la mañana
Hortensia se habrá despertado.

1. las ocho de la mañana

_____

2. las diez de la mañana

_____

3. el mediodía

_____

4. las cuatro de la tarde

_____

5. las seis de la tarde

_____

6. las ocho de la noche

_____

7. las diez de la noche

_____

8. medianoche

_____

Los adjetivos apocopados

D **Preguntas.** Hágale preguntas a un(a) compañero(a) de clase, según el modelo. Su compañero(a) debe contestar usando la forma apropiada del adjetivo. Primero escriba las preguntas.

si tiene buenos profesores
¿Tienes buenos profesores?
Solamente tengo un buen profesor.

Pregúntele...

1. si tiene cientos de libros en su biblioteca

_____

_____

2. si el presidente es un gran hombre

_____

_____

3. si conoce a una gran persona

_____

_____

4. si le gustan las ciudades grandes

_____

_____

5. si vive en el primer piso

_____

_____

6. si su amigo(a) es un(a) buen(a) estudiante

_____

_____

El sufijo -ísimo(a)

E **Es buenísimo.** Un(a) compañero(a) de clase y Ud. van a expresar sus opiniones sobre algunos acontecimientos o personas conocidas. Usen *gran, buen(a), mal(a)* y un adjetivo con *-ísimo(a)* en sus descripciones. Escriban sus opiniones.

un actor
Estudiante 1: Elvis Presley era un mal actor pero ganaba muchísimo.
Estudiante 2: Clark Gable era un gran actor y era guapísimo.

1. un(a) jugador(a) de baloncesto

   _____

   _____

2. un actor o una actriz

   _____

   _____

3. un(a) profesor(a) de inglés

   _____

   _____

4. un(a) cantante

   _____

   _____

5. un(a) amigo(a)

   _____

   _____

6. una película

   _____

   _____

7. una universidad

   _____

   _____

CULMINACIÓN

A **Cara a cara con Colón.** Imagínese que es un(a) periodista que tiene una máquina de tiempo para regresar al pasado. Ud. va a España en 1493 para entrevistar a Cristóbal Colón (un[a] compañero[a] de clase) después de su primer viaje a las Indias. Prepare al menos ocho preguntas y escriba el diálogo que Ud. tuvo con Colón.

Estudiante 1: **Almirante, ¿por qué decidió hacer este viaje?**
Estudiante 2: **Pues, siempre había pensado que la tierra era redonda y quería encontrar otra ruta para llegar al Oriente.**

_____

_____

_____

_____

_____

_____

_____

_____

_____

_____

_____

_____

_____

_____

B **Busco marineros.** Imagínese que es Cristóbal Colón y necesita marineros para el segundo viaje a las "Indias". Escriba y dibuje un anuncio que pondría en las tabernas y otros lugares públicos para conseguir marineros para su próximo viaje. Incluya toda la información necesaria y no olvide que tiene que atraer la atención de los marineros.

$$$$$$$ *¿Quiere ser riquísimo? Entonces....* $$$$$$$

Nombre _____ Fecha _____

CAPÍTULO
6

LOS VALORES

CONVERSACIÓN

A **Yo pago.** El estudiante de intercambio, Eduardo Jiménez, nunca te deja pagar cuando te invita a comer o tomar algo. Con un(a) compañero(a) de clase prepare un diálogo en el que Ud. insiste en pagar y Eduardo [el/la compañero(a) de clase] no quiere que Ud. pague. Luego, presenten la conversación a la clase.

Estudiante 1: **Eduardo, esta vez yo pago.**
Estudiante 2: **De ninguna manera. Yo te invité y yo pago.**

_____

_____

_____

_____

_____

_____

_____

_____

_____

_____

_____

_____

_____

B **A jugar a las monedas.** Jugar a las monedas o a "chinos" es una costumbre española. Consiste en poner las dos manos detrás de la espalda y meter tres pesetas o centavos o menos en la mano derecha. Entonces, cada jugador(a) muestra su puño y toman turnos adivinando cuántas monedas hay en total entre todos los puños. Juegue a las monedas seis veces con dos compañeros de clase y luego relate a la clase cuántas veces ganó cada uno.

ESTRUCTURA I

Usos especiales del artículo
El sentido general

A **Los aforismos.** Los aforismos son reglas u opiniones generales. A veces las personas inventan sus propios aforismos. Escribe un aforismo propio para cada una de las siguientes personas. Use el título apropiado para cada persona, i.e. el señor, la sicóloga.

Santa Claus, señor muy gordo
Según el señor Claus, las chimeneas son difíciles de bajar.

1. Sigmund Freud, famoso doctor de psicología

   _____

2. Jane Fonda, especialista en ejercicios

   _____

3. Smokey, oso famoso

   _____

4. Julia Childs, cocinera

   _____

5. George Armstrong Custer, coronel famoso

   _____

6. Conde Drácula, noble de Transilvania

   _____

Nombre _____ Fecha _____

El artículo con los días de la semana

B **La rutina diaria.** Ud. lleva una vida bastante común, pero a veces se sale de la rutina diaria. Mire los dibujos siguientes y escriba lo que hace cada día de la semana. Luego, escriba una excepción a su rutina.

Los domingos me gusta leer el periódico y descansar. Pero el domingo que viene voy a dar una caminata en las montañas con mis amigos.

los domingos

1.

los lunes

_____

_____

_____

_____

2.

los martes

_____

_____

_____

_____

3.

los miércoles

_____

_____

_____

_____

4.

los jueves

_____

_____

_____

_____

5.

los viernes

_____

_____

_____

_____

6.

los sábados

_____

_____

_____

_____

7.

los domingos

_____

_____

_____

_____

El artículo con los verbos reflexivos

C **Se cepilla los dientes.** Escriba quién en su familia hace la acción presentada en cada dibujo y cuándo la hace.

Mi hermanito se cepilla los dientes después de cada comida.

1.

_____

_____

2.

_____

_____

3.

_____

_____

4.

_____

_____

5.

_____

_____

El artículo indefinido

D **Es un(a) cocinero(a) extraordinario(a).** Con un(a) compañero(a) de clase prepare un pequeño diálogo sobre cada persona en los dibujos siguientes.

Sr. Gil

Estudiante 1: ¿Sabías que el señor Gil es taxista?
Estudiante 2: Sí, es un taxista excelente.

1.

Sra. González

_____

_____

2.

Sr. Ruiz

_____

_____

3.

Sr. Torres

_____

_____

4.

Srta. Sole

_____

_____

Los pronombres con la preposición

E **¿De quién hablan?** Complete las oraciones con un pronombre de complemento con la preposición según el modelo.

Federico habla de...
Federico habla de nosotros y nosotros hablamos de él.

1. Alma habla de...

   _____

   _____

2. Usted vive cerca de...

   _____

   _____

3. Tú sales con...

   _____

   _____

4. Yo voy sin...

   _____

   _____

5. El regalo es para...

   _____

   _____

6. Todos tienen pelo negro como...

   _____

   _____

ESTRUCTURA II

El presente perfecto del subjuntivo

A **No creo que hayan hecho eso.** Piense en ocho personas que Ud. conoce bien. Escriba una oración en la que dice algo que esta persona no haya hecho. Comience cada oración con *No creo que...*

No creo que...
No creo que mi abuelo haya estudiado español.

1. _____

_____

2. _____

_____

3. _____

_____

4. _____

_____

5. _____

_____

6. _____

_____

7. _____

_____

8. _____

_____

El pluscuamperfecto del subjuntivo

B **¿Qué hubieras hecho?** Hágale preguntas a un(a) compañero(a) de clase sobre cinco cosas que él/ella hubiera hecho el año pasado. Luego, infórmele a la clase. Escriba las preguntas.

Estudiante 1: **¿Te hubieras divertido más el año pasado?**
Estudiante 2: **No, hubiera estudiado más.**
A la clase: **Ana dijo que ella hubiera estudiado más el año pasado.**

1. _____

   _____

   _____

2. _____

   _____

   _____

   _____

3. _____

   _____

   _____

   _____

4. _____

   _____

   _____

   _____

5. _____

   _____

   _____

   _____

Cláusulas *con* si

C **Si hubiera tenido...** Complete las frases siguientes según el modelo.

> **Si tengo tiempo,...** *limpiaré mi cuarto.*
> **Si tuviera tiempo,...** *iría al cine.*
> **Si hubiera tenido tiempo,...** *habría hecho mi tarea.*

1. Si recibo 25 dólares de mi abuela,...

   _____

2. Si recibiera un coche de mis padres,...

   _____

3. Si hubiera recibido 1.000 dólares para mi cumpleaños,...

   _____

4. Si llego tarde a la boda,...

   _____

5. Si llegara tarde a la escuela,...

   _____

6. Si hubiera llegado tarde para el examen de SAT,...

   _____

El mío, el tuyo, el suyo, el nuestro y el vuestro

D **Se rompió el noviazgo.** Lola y Alejandro acaban de separarse después de pasar dos años saliendo juntos. Lola tiene que determinar de quién son los artículos siguientes. Con un(a) compañero(a) hagan el papel de Lola y Alejandro, según el modelo.

el reloj
Estudiante 1: Es mi reloj.
Estudiante 2: No, es el mío. (Sí, es el tuyo.)

1. los esquíes

   _____

   _____

2. la raqueta

   _____

   _____

3. la mochila

   _____

   _____

4. los discos

   _____

   _____

5. los libros

   _____

   _____

6. la cámara

   _____

   _____

7. la alianza de compromiso

   _____

   _____

Nombre _____ Fecha _____

El suyo, la suya, los suyos, las suyas

E **¿De quién es?** Pregúntele a un(a) compañero(a) de clase si lo que está en cada dibujo pertenece a la persona cuyo nombre se indica. Escriba la pregunta y la respuesta.

Estudiante 1: ¿Ésta es la chaqueta de José?
Estudiante 2: No, la suya es más grande y de otro color.

José

1.

Graciela

2.

Juanita

3.
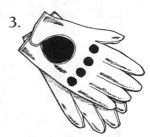
Javier

4.

Lorenzo

5.
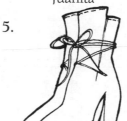
Teresa

6.

Manolo

1. _____

_____

2. _____

_____

3. _____

_____

4. _____

_____

5. _____

_____

6. _____

_____

COMMUNICATION ACTIVITIES MASTERS

Copyright © Glencoe/McGraw-Hill

DE VIAJE CHAPTER 6   **69**

Los pronombres demostrativos

F **¡Aquí sí que hay gangas!** Ud. es el/la dueño(a) de una tienda. Allí vende ropa usada, artículos para la casa y muchas otras cosas. Ud. está detrás del mostrador y desde allí le señala las cosas a un(a) cliente y le dice los precios de diez artículos.

Aquel reloj allí cuesta solamente dos dólares.

1. _____

2. _____

3. _____

4. _____

5. _____

6. _____

7. _____

8. _____

9. _____

10. _____

CULMINACIÓN

A **Si hubiera vivido en...** Si Ud. hubiera vivido durante la época del rey Arturo, qué habría hecho. ¿Cuál hubiera sido su profesión? ¿Dónde hubiera vivido?, etc. Escriba un párrafo donde describe cómo hubiera sido su vida en aquel entonces.

_____

_____

_____

_____

_____

_____

_____

_____

_____

_____

B **Lo/La recomiendo porque...** Su mejor amigo(a) quiere trabajar en el programa en una escuela primaria local que ayuda a los niños que tienen dificultades con los estudios y las tareas. Él/Ella quiere que Ud. le escriba una carta de recomendación al director del programa. En su carta diga por qué su amigo(a) es la persona ideal para este puesto.

Quisiera recomendar a... porque no hay nadie que haya trabajado...

_____

_____

_____

_____

_____

_____

_____

_____

_____

Nombre _____ Fecha _____

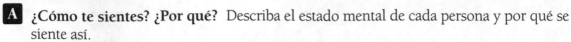

CAPÍTULO
7

LA SALUD Y EL BIENESTAR

CONVERSACIÓN

A **¿Cómo te sientes? ¿Por qué?** Describa el estado mental de cada persona y por qué se siente así.

Lolita

Lolita está de buen humor porque hoy es su cumpleaños y va a recibir muchos regalos.

1.

Sr. Mateos

_____

_____

2.

Srta. Rodríguez

_____

_____

3.

Raúl

_____

_____

4.

Mercedes

_____

_____

Nombre _____ Fecha _____

B **Un chequeo.** Ud. va al/a la médico(a) para un chequeo. Complete la conversación que tiene con el/la doctor(a). Luego, con un(a) compañero(a) de clase presente la conversación a la clase.

Doctor(a): ¡Buenos días! ¿Cómo se siente?

Ud.: _____

Doctor(a): ¿Le duele algo?

Ud.: _____

Doctor(a): ¿Ha tenido muchos catarros este año?

Ud.: _____

Doctor(a): ¿Ha estado enfermo(a) este año?

Ud.: _____

Doctor(a): ¿Fuma o vive con alguien que fume?

Ud.: _____

Doctor(a): ¿Cuántas horas duerme diariamente?

Ud.: _____

Doctor(a): ¿Cuántas veces por semana hace ejercicio? ¿Y qué clase de ejercicios hace?

Ud.: _____

Doctor(a): Dígame, ¿qué come para el desayuno, el almuerzo y la comida?

Ud.: _____

Doctor(a): ¿Toma vitaminas?

Ud.: _____

ESTRUCTURA I

El comparativo y el superlativo
Formas irregulares

A **¿Más o menos?** Haga comparaciones usando la forma comparativa de un adjetivo. Luego un(a) compañero(a) de clase dirá qué o quién es "el/la más" de todos usando la forma superlativa.

los países
Australia es más grande que el Canadá.
Rusia es el país más grande del mundo.

1. los equipos de fútbol americano

_____

_____

2. las clases difíciles

_____

_____

3. los conjuntos musicales

_____

_____

4. el precio de coches

_____

_____

5. las actrices

_____

_____

6. los idiomas

_____

_____

7. los helados

_____

_____

El comparativo de igualdad

B **No hay mucha diferencia.** Compare las personas o cosas siguientes usando el comparativo de igualdad.

María / Patricia
María es tan inteligente como Patricia.
María no es tan inteligente como Patricia.

1. el perro / el gato

_____

_____

2. la casa / el apartamento

_____

_____

3. el auto / la bicicleta

_____

_____

4. el hombre / la mujer

_____

_____

5. el vestido / el pantalón

_____

_____

Los verbos reflexivos
Formas regulares

C **Una excepción.** Escriba lo que Ud. hace normalmente y lo que hizo ayer o anoche o el sábado pasado, etc., que rompió la norma.

la manera de vestirse
Todos los domingos me pongo traje y corbata pero el domingo pasado me puse jeans y un suéter.

1. la hora de dormirse

_____

_____

2. la manera de divertirse

_____

_____

3. la manera de despedirse de sus amigos

_____

_____

4. la hora de levantarse

_____

_____

5. la manera de vestirse para ir al colegio

_____

_____

El sentido recíproco

D **Somos como gemelos(as).** Ud. y su amigo(a) son como gemelos(as) porque hacen casi todo juntos(as). Escriba de qué manera Uds. actúan como gemelos(as).

Los viernes nos vestimos de la misma manera.

_____

_____

_____

_____

_____

_____

_____

_____

ESTRUCTURA II

El *pronombre relativo* que

A **¿Ves a aquella persona que... ?** Su primo que está de visita conoce solamente a uno de sus vecinos, Juan, que vive al lado de su casa. Mire los dibujos y dígale a su primo quién es cada uno de los miembros de la familia de Juan.

Juan

Aquél que está hablando por teléfono es Juan que ya conoces.

1.

el hermanito de Juan

_____

_____

2.

Julio Padilla

_____

_____

3.

el Sr. Padilla

_____

_____

4.

la Sra. Padilla

_____

_____

5.

la hermanita de Juan

_____

_____

6.

el abuelo de Juan

_____

_____

El que, la que, los que y las que

B **Mi favorito.** Ud. es una persona que sabe muy bien lo que le gusta. Escriba cuál es su favorito en cada una de las siguientes categorías.

las películas / ver
De todas las películas que yo he visto, la que me gusta más es **Blancanieves.**

1. los libros / leer

_____

2. los deportes / practicar

_____

3. los postres / probar

_____

4. los lugares / visitar

_____

5. los maestros / tener

_____

6. las canciones / escuchar

_____

7. las frutas / comer

_____

8. los programas de televisión / ver

_____

Lo que, cuyo

C **Lo que pienso.** Una compañía que se llama "Conexiones" se especializa en presentar a miembros del sexo opuesto. Esta compañía les da un examen a todos los miembros nuevos. Este examen consta de una serie de frases que Ud. tiene que completar.

Lo que me gusta hacer cuando está lloviendo... *es leer un buen libro de misterio.*

1. Lo que me gusta hacer cuando está lloviendo...

_____

_____

2. Lo que necesito...

_____

_____

3. Lo que busco en un(a) amigo(a)...

_____

_____

4. Lo que me molesta mucho...

_____

_____

5. Lo que quisiera cambiar en mí...

_____

_____

6. Lo que considero más importante en la vida...

_____

_____

7. Lo que odio más que nada...

_____

_____

8. Lo que me gusta hacer cuando hace sol...

_____

_____

Por y para

D *¿Por o para?* Complete las siguientes frases con palabras apropiadas.

Salí para... *Chicago.*
Salí por... *pan.*

1. Voy a viajar por... _____

   Voy a viajar para... _____

2. Mi hermano mayor estudia para... _____

   Mi hermano mayor ha estudiado por... _____

3. Pienso estar en Madrid para... _____

   Pienso estar en Madrid por... _____

4. Compré la chaqueta por... _____

   Compré la chaqueta para... _____

5. Ahora mismo estoy por... _____

   Estoy para... _____

6. Fui al parque para... _____

   Fui a la tienda por... _____

7. El muchacho no trabaja para... _____

   El muchacho trabaja por... _____

8. El jefe salió por... _____

   El jefe volverá para... _____

CULMINACIÓN

A **Un régimen muy activo.** Este verano Ud. pasó una semana en un centro de ejercicios en las montañas. Todos los días comió comidas ricas en carbohidratos y vegetales y bajas en calorías y grasas. También hizo mucho ejercicio. Uno de los requisitos del centro es escribir en un diario lo que comió para las tres comidas y meriendas del día y las actividades en las que participó ese día.

17 de julio

¡Hoy tuve un día ocupadísimo! Tomé un desayuno ligero pero saludable, fresas... Después jugué... y di una caminata por... Conocí a un chico que va al colegio... y cuyo hermano conoce a... Lo que más me gustó... Tuvimos que... para...

_____

_____

_____

_____

_____

_____

_____

_____

_____

_____

_____

_____

_____

_____

_____

B **La depresión.** Imagínese que Ud. y un(a) compañero(a) de clase escriben una columna para una revista que tiene que ver con problemas de la salud. El tema de este mes es, "La depresión: Cómo combatirla". Escriban un artículo dando consejos para combatir la depresión.

La depresión puede ser un problema serio si no se trata. Algunas cosas que Ud. puede hacer para no sentirse deprimido(a) son... Le aconsejamos que si no se siente mejor después de unos días, que...

_____

_____

_____

_____

_____

_____

_____

_____

_____

CAPÍTULO
8

RAÍCES

CONVERSACIÓN

A **¿Hay preguntas?** Haga una pregunta acerca de cada uno de los siguientes temas. Comience la pregunta con una de estas frases.

Eh, quería preguntarle...
Por favor, una preguntita...
Ah, antes de que se me olvide,...
Si me permite,...
Una cosa que quisiera saber es...

El maestro de historia ha hablado sobre la guerra de Vietnam.
Una cosa que quisiera saber es, ¿cuántos soldados murieron allí?

1. Una investigadora científica ha hablado sobre unas medicinas nuevas.

   _____

   _____

2. La maestra de inglés ha hablado sobre Shakespeare.

   _____

   _____

3. Un policía ha hablado sobre el problema de las drogas en la comunidad.

   _____

   _____

4. El agregado cultural de la Embajada de México ha hablado sobre los mayas.

   _____

   _____

5. La candidata para senador ha hablado sobre su campaña electoral y sus ideas.

   _____

   _____

6. El maestro de biología ha hablado sobre los insectos venenosos.

_____

_____

7. El cocinero profesional ha hablado sobre sus experiencias en el restaurante.

_____

_____

8. Una consejera ha hablado sobre cómo inscribirse en una universidad.

_____

_____

B **Perdón que te lo diga, pero...** Una amiga le molesta mucho cuando Ud. habla con otra persona. Su amiga le interrumpe, le hace preguntas tontas y otras cosas que le enojan. Escríbale una carta y explica el problema.

Querida Rosario,

Eres mi mejor amiga y no quiero ofenderte. Perdón que te lo diga, pero es imposible conversar contigo. Me molesta mucho cuando tú...

Nombre _____ Fecha _____

ESTRUCTURA I

El participio presente

A **¿Qué están haciendo?** Diga lo que está haciendo cada persona en el dibujo.

La señora está sacando al perro de paseo.

1.  _____

_____

2.  _____

_____

3.  _____

_____

4.

_____

_____

5.

_____

_____

Los adverbios que terminan en -mente

B **¿Cómo lo hacen?** Diga cómo cada persona hace o hacía las siguientes cosas. Use adverbios que terminan en *-mente*, según el modelo.

tú / aprender
Yo aprendo fácilmente.

1. Speedy González / correr

_____

2. Babe Ruth / jugar al béisbol

_____

3. el presidente / hablar

_____

4. el rey Midas / contar su dinero

_____

5. los Beatles / cantar

_____

6. una modelo profesional / vestirse

_____

ESTRUCTURA II

La voz pasiva

A **Inventos, descubrimientos y obras de arte.** Describa ocho hechos históricos que traten de inventos, descubrimientos u obras de arte. Use la voz pasiva, según el modelo.

La Mona Lisa *fue pintada por Leonardo da Vinci.*

_____

_____

_____

_____

_____

_____

_____

_____

La voz pasiva con se

B **Los letreros.** Escriba un letrero que casi siempre se encuentra en uno de los siguientes lugares.

en la biblioteca
Se prohíbe hablar en voz alta.

1. en el restaurante

_____

2. en el césped del parque

_____

3. en el cine

_____

4. en el hospital

_____

5. enfrente de la entrada de un hotel

_____

Los verbos que terminan en -uir

C **¿Qué hizo Juanito ayer?** Describa lo que hizo Juanito ayer según los dibujos. Use los verbos de la lista.

leer   incluir   destruir   caerse
huir   construir   oír   distribuir

Juanito construyó un edificio.

1.

   _____

   _____

2.

   _____

   _____

3.

   _____

   _____

4.

   _____

   _____

5.

   _____

   _____

La forma exhortativa
con nosotros

D **El líder habla.** ¿Qué le diría Ud. a sus compañeros en los siguientes lugares o situaciones?

en la playa
¡Vámonos a nadar!

1. entrando en el cine

   _____

2. en la pizzería

   _____

3. en una fiesta

   _____

4. en el centro comercial

   _____

5. en el gimnasio de la escuela

   _____

6. en la reunión del club de español

   _____

7. en la tienda de videos

   _____

8. el viernes al salir de la escuela

   _____

COMMUNICATION ACTIVITIES MASTERS

DE VIAJE CHAPTER 8 **91**

CULMINACIÓN

A **Mi clase.** Imagínese que Ud. es maestro(a). Prepare una lista de ocho reglas para sus alumnos. Si desea puede inyectar un poco de humor.

Sólo se permite pasar notas si están escritas en español.

1. _____

2. _____

3. _____

4. _____

5. _____

6. _____

7. _____

8. _____

B **Soy de ascendencia...** Para la clase de historia Ud. tiene que escribir un informe sobre la etnografía de su familia. También tiene que incluir cómo su vida familiar refleja las culturas de su linaje.

Por parte de mi padre soy inglés(a) y por parte de mi madre soy italiano(a) y alemán(a). La parte italiana es la más fuerte. En mi casa se come mucha comida italiana como...

_____

_____

_____

_____

_____

_____

_____

_____

_____

_____